BILBO
JEUNESSE

# Lola superstar

**Du même auteur chez Québec Amérique**

**Jeunesse**

*Granulite*, coll. Bilbo, 1992.
*Guillaume*, coll. Gulliver, 1995.
 • MENTION SPÉCIALE PRIX SAINT-EXUPÉRY (FRANCE)
*Le Match des étoiles*, coll. Gulliver, 1996.
*Kate, quelque part*, coll. Titan+, 1998.

SÉRIE KLONK
*Klonk*, coll. Bilbo, 1993.
 • PRIX ALVINE-BÉLISLE
*Lance et Klonk*, coll. Bilbo, 1994.
*Le Cercueil de Klonk*, coll. Bilbo, 1995.
*Un amour de Klonk*, coll. Bilbo, 1995.
*Le Cauchemar de Klonk*, coll. Bilbo, 1997.
*Klonk et le Beatle mouillé*, coll. Bilbo, 1997.
*Klonk et le treize noir*, coll. Bilbo, 1999.
*Klonk et la queue du Scorpion*, coll. Bilbo, 2000.
*Coca-Klonk*, coll. Bilbo, 2001.
*La Racine carrée de Klonk*, coll. Bilbo, 2002.
*Le Testament de Klonk*, coll. Bilbo, 2003.
*Klonk contre Klonk*, coll. Bilbo, 2004.

SÉRIE SAUVAGE
*La Piste sauvage*, coll. Titan, 2002.
*L'Araignée sauvage*, coll. Titan, 2004.

**Adultes**

*Les Black Stones vous reviendront dans quelques instants*, coll. Littérature d'Amérique, 1991.
*Ostende*, coll. Littérature d'Amérique, 1994.
 Coll. QA compact, 2002.
*Miss Septembre*, coll. Littérature d'Amérique, 1996.
*Vingt et un tableaux (et quelques craies)*, coll. Littérature d'Amérique, 1998.
*Fillion et frères*, coll. Littérature d'Amérique, 2000.
 Coll. QA compact, 2003.
*Je ne comprends pas tout*, coll. Littérature d'Amérique, 2002.
*Adieu, Betty Crocker*, coll. Littérature d'Amérique, 2003.

# Lola superstar

**FRANÇOIS GRAVEL**
ILLUSTRATIONS : ÉLISE GRAVEL

QUÉBEC AMÉRIQUE Jeunesse

**Données de catalogage avant publication (Canada)**

Gravel, François
Lola superstar
(Bilbo jeunesse; 130)
Pour les jeunes.
ISBN 2-7644-0328-3
I. Gravel, Élise. II. Titre. III. Collection.
PS8563.R388L64 2004 jC843'.54 C2003-941967-3
PS9563.R388L64 2004

Nous reconnaissons l'aide financière du gouvernement du Canada par l'entremise du Programme d'aide au développement de l'industrie de l'édition (PADIÉ) pour nos activités d'édition.

Gouvernement du Québec – Programme de crédit d'impôt pour l'édition de livres – Gestion SODEC.

Les Éditions Québec Amérique bénéficient du programme de subvention globale du Conseil des Arts du Canada. Elles tiennent également à remercier la SODEC pour son appui financier.

Québec Amérique
329, rue de la Commune Ouest, 3e étage
Montréal (Québec) H2Y 2E1
Téléphone: (514) 499-3000, télécopieur: (514) 499-3010

Dépôt légal: 1er trimestre 2004
Bibliothèque nationale du Québec
Bibliothèque nationale du Canada

Révision linguistique: Michèle Marineau
Mise en pages: André Vallée
Réimpression: novembre 2004


**www.quebec-amerique.com**

# 1

# Un drôle de doigt

Salut. Je m'appelle Lola, j'ai dix ans, et j'ai un don qui m'a rendue célèbre dans le monde entier. Si jamais vous rêvez de célébrité, vous aussi, lisez ce livre et vous changerez peut-être d'idée.

Mon histoire commence un jour où je regarde des livres avec mon frère William. Si je dis que je *regarde* des livres, c'est parce que William n'a que deux ans et qu'il ne sait pas lire. Chaque fois que je vais à la bibliothèque de mon école, je lui rapporte un album de dinosaures, et je le regarde avec lui.

Mais ce jour-là, j'ai un problème : il n'y avait plus un seul livre de dinosaures à la bibliothèque. J'essaie de montrer à William les autres livres que j'ai choisis pour lui, de beaux livres avec des pandas, des dauphins ou des baleines, mais il n'y a rien à faire : William est triste comme le dernier des dinosaures sur la planète.

« No-saures ! No-saures ! No-saures ! » dit-il de plus en plus fort. Comme je ne veux pas qu'il se mette à crier, je pose mon doigt sur ma bouche en faisant « Chut ! », et mon doigt disparaît ! Mon index est devenu invisible ! Puis, avant même que j'aie eu le temps d'avoir peur, il réapparaît comme par magie…

William me regarde avec de grands yeux ronds : un doigt qui

disparaît, c'est quand même plus drôle qu'un tyrannosaure !

« Encore ! dit-il. Encore faire chut ! »

Je n'ose pas recommencer. Est-ce que mon doigt pourrait disparaître à jamais ? Et puis a-t-il vraiment disparu, ou est-il seulement devenu invisible ? Tout cela est trop bizarre pour être vrai. Je décide de ne pas y croire et de n'en parler à personne, surtout pas à mes parents : ils me traîneraient chez un médecin, eux qui détestent pourtant attendre pendant des heures. Plus j'y pense, plus je me dis que j'ai sûrement rêvé : un doigt qui disparaît, c'est impossible. Essayons de ne plus y penser.

Mais ce soir-là, quand je me retrouve toute seule dans ma chambre, je découvre plein de choses intéressantes à propos de mon index...

# 2

# Un drôle de don

Je referme la porte derrière moi, je m'assois sur mon lit, je souffle sur mon doigt en disant « Chut ! » et… ça marche ! Mon index disparaît encore pendant quelques secondes !

Je recommence en regardant ma montre : mon doigt est invisible

pendant dix secondes, exactement dix secondes, avant de réapparaître comme par magie.

Je répète l'expérience encore et encore, et chaque fois c'est la même chose : mon doigt disparaît pendant dix secondes, puis il réapparaît juste au moment où je commence à avoir peur.

Quand mon doigt est invisible, je ne sens rien de particulier. Ça ne picote pas comme quand on est engourdi, et ça ne me fait ni chaud ni froid. Je ne peux pas voir mon doigt, mais je peux quand même l'utiliser pour me gratter le nez. Et quand il réapparaît, je ne sens rien non plus.

Rassurée, je tente ensuite de nouvelles expériences. Je souffle sur mon pouce, sur mon auriculaire, sur mon annulaire et sur mon majeur, mais il ne se passe rien : mes doigts restent là.

Je souffle ensuite sur mes pieds, sur mes genoux, sur mes coudes et même sur mon nombril, mais il n'y a rien à faire, et c'est bien dommage : j'ai toujours pensé que les ventres seraient plus jolis sans nombril.

J'essaie ensuite avec un crayon, une pantoufle et une feuille de papier, sans plus de succès. Tout ce que j'arrive à faire disparaître, c'est mon index, et il ne reste invisible que pendant dix secondes. Il faut que je me rende à l'évidence : j'ai un don, mais c'est un don idiot. À quoi cela peut-il servir de faire disparaître un doigt pendant dix secondes ? Pourquoi est-ce que je n'ai pas un talent spécial pour la course à pied, le calcul ou la musique ?

C'est à ce moment-là que je décide de parler de ce qui m'arrive à mes parents. Si j'avais pu prévoir leur réaction, j'aurais gardé mon secret pour moi !

# 3

# De drôles de parents

Quand je descends au salon, mon père et ma mère regardent la télévision. Je décide d'attendre un peu avant de leur parler : quand ils regardent un film, mes parents ne sont même pas capables de faire semblant de m'écouter. Même si je faisais disparaître ma tête au complet, ils ne s'en apercevraient pas. J'attends donc la pause publicitaire pour souffler sur mon doigt, et leurs yeux deviennent alors ronds comme des soucoupes.

« Ça alors ! s'exclame papa. C'est extraordinaire !

—Notre fille a un don ! renchérit maman. Nous irons à la télévision et nous serons célèbres dans le monde entier !

—Mieux que ça, dit papa. Nous serons riches ! Peut-être même millionnaires ! »

Et ils se mettent à danser dans le salon, tout en répétant « Nous serons riches ! Nous serons riches ! ».

Ils font tellement de bruit que William se réveille en pleurant.

Papa va le chercher dans son lit, et il se met à danser avec lui :

« Nous serons riches ! Nous serons riches ! »

William n'y comprend rien, et moi non plus : comment peut-on s'enrichir en faisant disparaître son index ? Et puis nous sommes *déjà* riches ! Nous avons une maison en ville et un chalet à la

campagne, une grande automobile et une autre plus petite, des vélos et des jeux vidéo, des téléviseurs et des ordinateurs, sans même parler des vêtements et des aliments. Pourquoi faudrait-il que nous soyons *plus* riches ?

Je voudrais bien poser des questions à mes parents, mais ils continuent à danser en rond.

Je ne les ai jamais vus aussi excités. Seraient-ils devenus fous ?

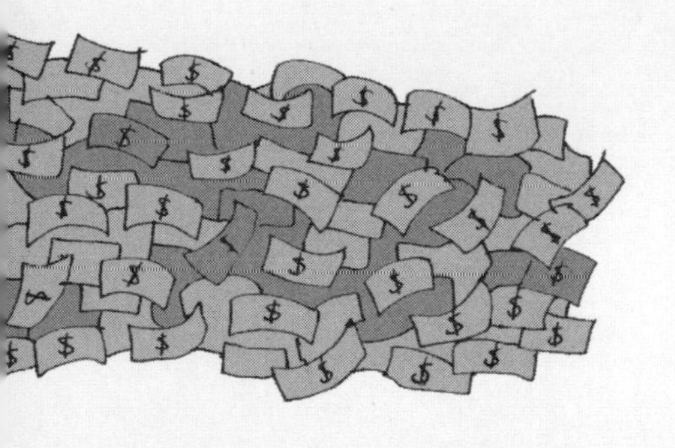

# 4

# Un drôle d'animateur

Le lendemain matin, je me lève à sept heures, comme d'habitude. Je déjeune avec William, puis je me prépare pour aller à l'école.

« Aller à l'école ! dit maman. Mais tu n'y penses pas ?! ?

— Une enfant aussi douée que toi ne va pas à l'école, voyons ! renchérit papa. Pas d'école ce matin ! Nous allons au studio de télévision ! Allez hop, tout le monde dans l'auto ! »

Maintenant, je comprends mieux pourquoi mes parents étaient si contents : ils veulent

que je devienne une vedette de la télévision ! Ils m'expliquent que je n'aurai qu'à faire disparaître mon index devant les caméras pour devenir célèbre. Je pense que c'est une idée bizarre, mais je n'ai pas le temps d'en discuter. Toute la famille s'installe dans l'automobile, et nous arrivons bientôt au studio de télévision.

Dès que nous entrons dans le studio, tout se passe très vite : la maquilleuse me badigeonne de crèmes et de poudres, la coiffeuse me vaporise quelque chose dans les cheveux, je traverse une grande salle au plancher recouvert de fils électriques et, deux minutes plus tard, je suis assise aux côtés d'un animateur qui

gesticule comme une pieuvre qui aurait mis un de ses tentacules dans une prise électrique.

« Et maintenant, chers téléspectateurs, voici une petite fille qui possède un talent extraordinaire, un talent exceptionnel, un talent époustouflant ! Cette petite fille est un véritable prodige ! Vous retiendrez longtemps son nom, croyez-moi ! Comment t'appelles-tu, déjà ?

— Lola.

— Lola, c'est ça ! Il paraît que tu as un don, Lola ?

— Oui, monsieur ! Je peux faire disparaître mon doigt en soufflant dessus !

— Ça alors ! C'est extraordinaire ! C'est renversant ! N'est-ce pas que c'est renversant, mesdames et messieurs ? »

Un panneau lumineux s'allume alors devant les spectateurs. « Applaudissez ! » dit le panneau, et tout le monde applaudit. Ma maîtresse d'école devrait avoir un panneau comme ça : elle se ferait obéir plus facilement !

Pendant que les spectateurs applaudissent, je fais un clin d'œil à William, qui est assis au premier

OBÉISSEZ

rang. Il a l'air très heureux d'applaudir. Salut, William !

« Est-ce que tu pourrais faire disparaître ton doigt ici même, devant nous ? demande ensuite l'animateur.

— Bien sûr !

Je fais « Chut ! » en soufflant sur mon index, et l'index disparaît. L'animateur a la bouche grande ouverte, et il la garde ouverte si longtemps que j'ai peur qu'il s'évanouisse. Dix secondes plus tard, mon doigt réapparaît, et l'animateur recommence à gesticuler.

« Quel talent extraordinaire ! dit-il. C'est ahurissant, c'est époustouflant, c'est... c'est extraordinaire, tout simplement extraordinaire ! On applaudit Lola ! »

Il réussit à se calmer un peu pendant que le public applaudit, puis il me pose la question que je redoutais :

« Mais dis-moi, Lola, est-ce que tu pourrais faire disparaître autre chose que ton index ? Je ne sais pas, moi… Est-ce que tu pourrais faire disparaître la rouille sur mon automobile, par exemple, ou alors les factures qui s'empilent sur mon bureau ? »

Le panneau lumineux ordonne alors aux spectateurs de rire, et tout le monde s'esclaffe.

« Je peux faire disparaître mon index, mais c'est tout. Je suis désolée.

— Ah bon ! dit l'animateur, qui a l'air un peu déçu. Eh bien, eh bien… Eh bien maintenant, un mot de notre commanditaire ! »

Le panneau ordonne une fois de plus aux spectateurs d'applaudir, et mes parents viennent me chercher.

« Tu as été parfaite ! dit papa.

— Absolument parfaite, renchérit maman. À nous la fortune, à nous la gloire ! Et maintenant, sortons vite d'ici, nous avons d'autres rendez-vous ! »

D'autres rendez-vous ? Mais où donc vont-ils m'emmener cette fois-ci ?

# 5

# Une drôle de journée

J'enregistre trois autres émissions ce matin-là, ensuite nous allons manger au restaurant, et je fais deux émissions pendant l'après-midi. C'est chaque fois pareil : je souffle sur mon index, l'animateur est ébahi, et la foule applaudit. Je suis bien contente de faire plaisir à tous ces gens, mais je commence à m'ennuyer un peu. Le problème, quand on est célèbre, c'est qu'on est obligé de toujours répéter les mêmes gestes. À l'école, au moins, on apprend chaque jour quelque chose de nouveau.

Chaque fois que nous arrivons dans un nouveau studio de télévision, les coiffeuses me vaporisent un produit qui sent très mauvais et qui pique les yeux, et les maquilleuses m'appliquent une crème qui rend ma peau graisseuse. Ensuite, je ne peux même pas me gratter le nez à cause du maquillage, et je ne peux pas bouger à cause du micro. Les projecteurs sont tellement chauds que j'ai l'impression de cuire comme une pizza. Je m'assois sur une chaise, je réponds aux questions des animateurs, je fais disparaître mon doigt, et deux minutes plus tard c'est fini, il faut vite aller à un autre studio.

Le soir, nous allons encore manger au restaurant, mais je ne peux pas avaler un seul morceau : tous les clients m'ont vue à la

télévision, alors il faut *encore* que je fasse disparaître mon doigt pour leur faire plaisir !

Et ce n'est pas fini : après le souper, j'enregistre trois nouvelles émissions ! Je suis tellement fatiguée que je souhaite que mon doigt ne disparaisse pas. Mais chaque fois il disparaît, chaque fois la foule applaudit, et chaque fois je suis un peu plus découragée : ça ne finira donc jamais ? Est-ce que je vais passer le reste de ma vie à souffler sur mon index ?

Quand je me couche, ce soir-là, je me dis que les spectateurs vont bien finir par se fatiguer de toujours voir le même spectacle. Mon cauchemar devrait donc bientôt se terminer...

# 6

# De drôles de médecins

Le lendemain matin, je me réveille à sept heures, comme d'habitude, je mange tranquillement mes céréales, puis je me prépare pour aller à l'école.

« Pas d'école ce matin ! dit maman d'un ton joyeux.

— On va voir le docteur ! » renchérit papa, tout aussi joyeux.

Mes parents sont vraiment bizarres : quand il faut aller chez le médecin, d'habitude, ils n'en finissent plus de bougonner parce qu'il faut poireauter pendant des heures dans la salle d'attente. Mais aujourd'hui, ils sont tout excités !

À bien y penser, je suis contente, moi aussi : peut-être que les médecins vont me guérir ?

Peut-être qu'ils vont réparer mon doigt pour qu'il arrête de disparaître ? Je l'espère de tout cœur : j'aimerais tellement aller à l'école avec mes amis, comme une petite fille normale !

Mais quand nous arrivons à la clinique, je m'aperçois que ce ne sont pas seulement mes parents qui sont bizarres : le médecin m'ouvre lui-même la porte et me fait entrer tout de suite dans son cabinet, où m'attendent cinq autres médecins !

Je ne suis pas aussitôt assise qu'ils me tournent autour en me posant dix mille questions : Qu'as-tu mangé pour déjeuner ? Combien d'heures dors-tu chaque nuit ? Aimes-tu la réglisse noire ?

T'endors-tu du côté droit ou du côté gauche de ton lit ? De quelle couleur sont tes pipis ? Ça n'en finit plus !

Quand ils en ont terminé avec leurs questions, ils me demandent encore une fois de faire disparaître mon index. Je souffle donc sur mon doigt une fois de plus, et les voilà qui se mettent à danser en rond avec mes parents !

« Nous avons trouvé un cas ! chantent-ils en chœur. Un cas unique ! Nous publierons des articles ! Nous participerons à des colloques ! Nous serons riches et célèbres ! »

Tout le monde est-il tombé sur la tête ? Quelle histoire de fous !

# 7

# Un drôle de voyage

Le lendemain matin, je me réveille à sept heures, comme d'habitude, et je mange mes céréales le plus silencieusement possible, pour ne pas réveiller mes parents. Peut-être qu'ils me laisseront partir pour l'école, sait-on jamais ? J'aimerais tellement qu'ils oublient que j'ai un don !

« Aller à l'école ? Tu n'y penses pas, voyons ! dit mon père.

— Ce matin, nous allons à New York ! renchérit ma mère. Finis vite tes céréales, l'avion nous attend ! »

À New York ? Mais pourquoi ?

Mes parents sont tellement pressés qu'ils ne prennent même pas la peine de répondre à ma question. Nous sautons dans un taxi qui nous conduit à l'aéroport, et nous prenons l'avion pour New York, où nous attendent des centaines de journalistes et de photographes. Tout le monde se bouscule pour s'approcher de moi, on me crie des questions que je ne comprends pas, on me mitraille de flashs, je ne vois plus rien, je ne comprends plus rien… Au secours !

Heureusement que mes parents réussissent à me sortir de là, sinon la foule m'aurait avalée ! Toute la famille s'engouffre dans une limousine qui nous conduit à un studio de télévision, et ça recommence : encore une fois on me badigeonne de crème, encore une fois on me vaporise dans les cheveux un produit qui sent mauvais, encore une fois je cuis sous les projecteurs, et encore une fois je suis obligée de faire disparaître mon doigt ! Ça ne finira donc jamais ?

Aussitôt sortis du studio, nous allons visiter des médecins, puis des journalistes, puis un animateur de radio ; ça va tellement vite que nous n'avons même pas le temps d'aller manger au restaurant. Nous grignotons des sandwichs dans la limousine, puis nous allons enregistrer d'autres

TV
TV
TV

émissions de télévision. Et ce n'est pas fini : à la fin de la journée, nous prenons un autre avion, qui nous conduit en Californie, où il faut *encore* rencontrer des animateurs, des journalistes et des médecins, *encore* manger des sandwichs dans des limousines, *encore* dormir à l'hôtel, et *encore*

prendre un avion pour aller à Detroit, puis à Chicago, Toronto, Mexico, Paris, Rome, Moscou, et plein d'autres villes dont je ne me souviens même pas. Ma vie ressemble à un tourbillon où il n'y a que des chambres d'hôtel, des limousines et des studios de télévision. C'est complètement débile !

# 8

# Un drôle de régime

En Angleterre, il y a un grand musée rempli de squelettes de dinosaures. Je voudrais y aller avec William, mais mes parents refusent : il faut sauter dans une limousine, me faire maquiller

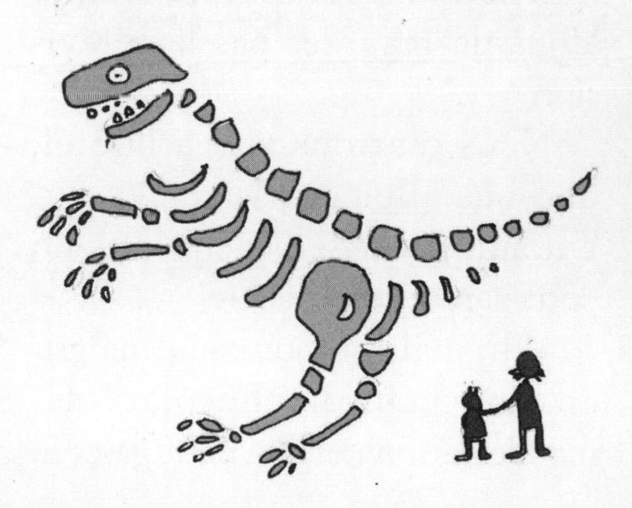

avec des produits graisseux, et me faire coiffer avec des vaporisateurs qui brûlent les yeux. Tout ça pour me faire dire que mon histoire ne les intéresse pas.

... Que mon histoire ne les intéresse pas ??? Est-ce que j'ai bien entendu cette dame avec un drôle de chapeau dire à mes parents que mon histoire ne l'intéressait pas ?????

« Vous ne lisez donc pas les journaux ? demande la dame. Vous ne regardez pas la télévision ? »

Nous rentrons vite à l'hôtel, où nous allumons le téléviseur. Un animateur se penche vers un petit garçon très maigre :

« Il paraît que tu peux maigrir en mangeant du chocolat ? demande l'animateur au petit garçon.

AVANT APRÈS

—Oui, monsieur! répond fièrement le petit garçon.

—Et tu peux nous le prouver ici même?

—Certainement, monsieur!»

Le petit garçon monte sur un pèse-personne, il mange des kilos et des kilos de chocolat, et plus il en mange, plus il maigrit!

«C'est extraordinaire! dit l'animateur. C'est ahurissant, c'est stupéfiant, c'est... J'en perds mes mots!»

Pendant que les spectateurs applaudissent, mon père court chercher des journaux. Sur toutes les premières pages, on voit la photo de ce petit garçon qui réussit à maigrir en mangeant du chocolat.

«C'est un miracle!» proclame un article. «Un prodige!» assure une autre manchette. «C'est un

LE BLABLA
LE BARATIN
LA PAROLE
INSIGNIFIANT
LE REDONDANT

grand pas en avant pour l'humanité, affirme un troisième journal. Si les médecins percent le secret de ce petit garçon, nous pourrons manger des tonnes de frites et de hamburgers sans jamais engraisser ! »

Tout le monde a l'air heureux, sauf mes parents. Ils essaient de téléphoner à d'autres postes de télévision et à d'autres journaux, mais plus personne n'est intéressé à interviewer une petite fille qui fait disparaître son index. Mes parents sont tristes, et moi aussi je suis triste quand je pense à ce pauvre petit garçon qui devra faire toutes les émissions de télévision de la planète. Par contre, quand je pense à moi, je suis très, très, très contente !

Je rentrerai bientôt chez moi, et j'irai à l'école comme une petite fille normale. Je pourrai enfin faire du français, du dessin, des mathématiques, de la géographie !

# 9

# Un drôle de secret

Le lendemain matin, je me réveille à sept heures, comme d'habitude, je mange tranquillement mes céréales, puis je me prépare pour aller à l'école. Et mes parents me laissent partir !

Ils ont encore l'air un peu tristes, mais ils vont sûrement finir par se consoler. Mes parents sont comme ça : ils sont tout excités pendant deux semaines, ensuite ils se calment.

Moi, en tout cas, je n'ai jamais été aussi contente de retrouver mes amis et de marcher avec eux jusqu'à l'école.

Quand j'entre dans la classe, personne ne me vaporise de produit dans les cheveux, personne ne me met de maquillage sur le visage, et je peux aller m'asseoir à ma place sans avoir peur de trébucher sur des fils électriques. Pendant toute la matinée, je fais de la lecture, du calcul, de l'écriture, et j'adore ça !

Le midi, je peux prendre mon temps pour manger avec mes amis, et ensuite je peux jouer au ballon autant que je le veux !

L'après-midi, je continue à faire du français et du calcul, et le temps passe très vite.

Le soir, quand je rentre à la maison, je cours m'enfermer dans ma chambre avec William. Nous refermons la porte derrière nous, et nous pouvons enfin profiter de mon véritable don.

J'ai en effet découvert au cours de mes voyages que j'ai un don. Un don extraordinaire. J'en ai fait part à William, mais je n'en parlerai à personne d'autre, pas même à vous : c'est mon secret !

**Du même auteur**

**Jeunesse**

*Corneilles*, Boréal, 1989.

*Zamboni*, Boréal, 1989.

- PRIX M. CHRISTIE

*Deux heures et demie avant Jasmine*, Boréal, 1991.

- PRIX DU GOUVERNEUR GÉNÉRAL

*David et le Fantôme*, Dominique et compagnie, 2000.

- PRIX M. CHRISTIE
- Liste d'honneur IBBY

*David et les monstres de la forêt*, Dominique et compagnie, 2001.

*David et le précipice*, Dominique et compagnie, 2001.

*David et la maison de la sorcière*, Dominique et compagnie, 2002.

*David et l'orage*, Dominique et compagnie, 2003.

**Albums**

*L'été de la moustache*, Les 400 coups, 2000.

*Madame Misère*, Les 400 coups, 2000.

*Tocson*, Dominique et compagnie, 2003.

**Adultes**

*La Note de passage*, Boréal, 1985. B.Q., 1993.

*Benito*, Boréal, 1987. Boréal compact, 1995.

*L'Effet Summerhill*, Boréal, 1988.

*Bonheur fou*, Boréal, 1990.

Québec, Canada
2004